LITTLE LIBRARY

First 200 Words in
Italian

Paola Tite
Illustrator: Katy Sleight

Kingfisher Books

Contents

All about your book

Your Little Library picture dictionary will help you learn your first 200 words in Italian.

The Italian words are printed in heavy type (**il gatto**) and appear with the English word beside a picture of the word. You will see that most of the Italian words have a small word before them, meaning 'the' (**il**, **la**, **l'**, **lo**, **i** or **le**). When you learn these words, don't forget to learn the word for 'the', too.

If you hear people speaking Italian, you will notice that many of the sounds they use are quite different from the ones we use in English. So ask a parent or teacher, or best still an Italian person, how to say the words correctly.

You can test some of the words you have learned by doing the word square puzzle at the end of the dictionary.

Your body

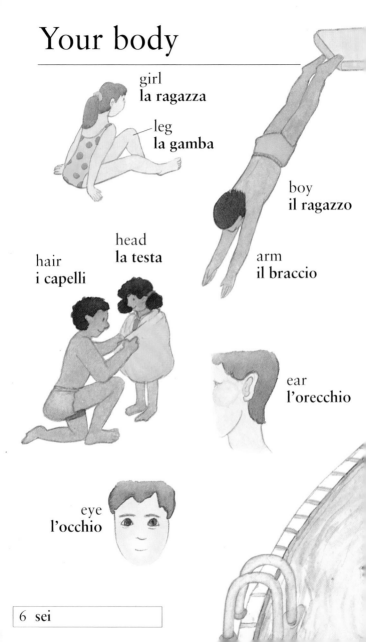

girl
la ragazza

leg
la gamba

boy
il ragazzo

head
la testa

hair
i capelli

arm
il braccio

ear
l'orecchio

eye
l'occhio

nose
il naso

finger
il dito

teeth
i denti

mouth
la bocca

tongue
la lingua

hand
la mano

foot
il piede

Things to wear

T-shirt
la maglietta

jeans
i jeans

shoes
le scarpe

dress
il vestito

raincoat
l'impermeabile

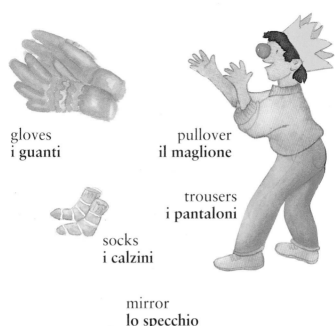

gloves
i guanti

pullover
il maglione

trousers
i pantaloni

socks
i calzini

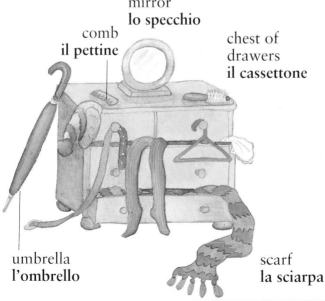

mirror
lo specchio

comb
il pettine

chest of
drawers
il cassettone

umbrella
l'ombrello

scarf
la sciarpa

Playtime

book
il libro

train set
il trenino

teddy bear
l'orsacchiotto

spinning top
la trottola

slide
lo scivolo

roller skates
i pattini a rotelle

skipping rope
la corda per saltare

puppet
la marionetta

paints
i colori

pencils
le matite

At home

bathroom
il bagno

toilet
il gabinetto

kitchen
la cucina

door
la porta

sink
il lavandino

chair
la sedia

window
la finestra

clock
l'orologio

curtain
la tendina

bedroom
la camera da letto

house
la casa

bed
il letto

floor
il pavimento

radio
la radio

television
la televisione

painting
il quadro

wall
il muro

table
il tavolo

sofa
il divano

living-room
soggiorno

bookcase
la libreria

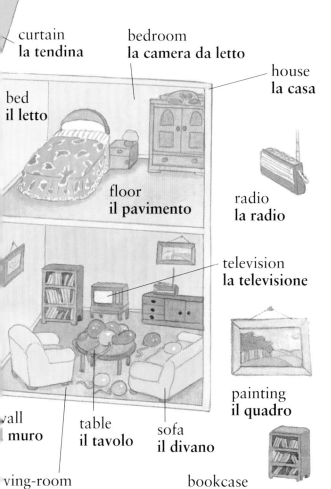

Animals

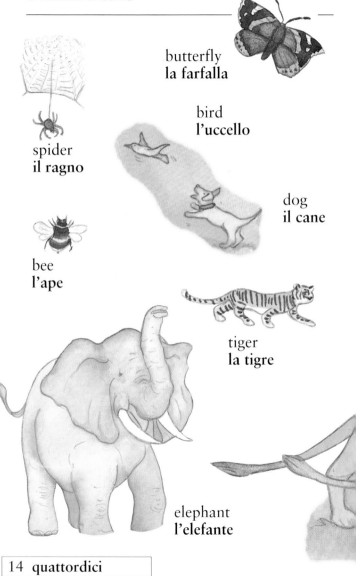

butterfly
la farfalla

bird
l'uccello

spider
il ragno

dog
il cane

bee
l'ape

tiger
la tigre

elephant
l'elefante

fish
il pesce

wolf
il lupo

mouse
il topo

horse
il cavallo

cat
il gatto

monkey
la scimmia

sheep
la pecora

lion
il leone

lioness
la leonessa

On the move

aeroplane
l'aeroplano

bicycle
la bicicletta

bus
l'autobus

lorry
il camion

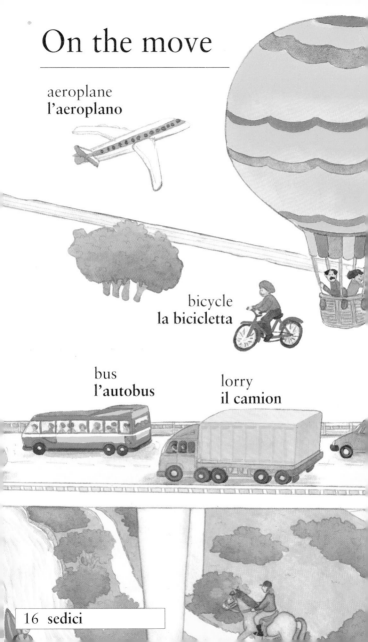

helicopter
l'elicottero

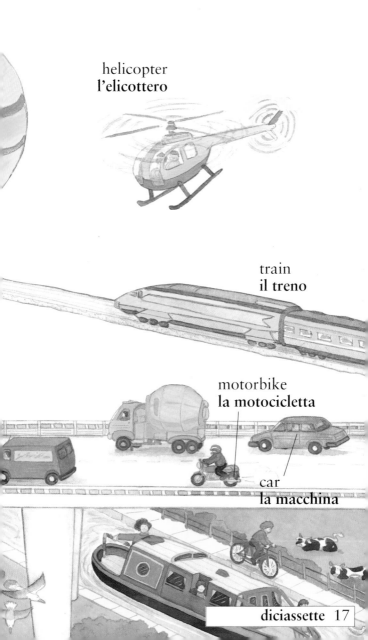

train
il treno

motorbike
la motocicletta

car
la macchina

At the beach

ship
la nave

motor boat
la barca a motore

waves
le onde

spade
la paletta

bucket
il secchiello

shell
la conchiglia

sea
il mare

lighthouse
il faro

rock
la roccia

sand castle
**il castello
di sabbia**

seaweed
le alghe

sand
la sabbia

beach
la spiaggia

ice cream
il gelato

Things to do

open
aprire

write
scrivere

read
leggere

father
il padre

hold
tenere

pull
tirare

cry
piangere

carry
portare

run
correre

listen
ascoltare

smile
sorridere

children
i bambini

drink
bere

jump
saltare

eat
mangiare

sleep
dormire

mother
la madre

come
venire

go
andare

ventuno 21

Opposites

full
pieno

empty
vuoto

on the left
a sinistra

on the right
a destra

warm
caldo

in front of
davanti a

cold
freddo

behind
dietro

long
lungo

dry
asciutto

wet
bagnato

short
corto

old
vecchio

new
nuovo

open
aperto

big
grande

shut
chiuso

little
piccolo

clean
pulito

dirty
sporco

slow
lento

fast
veloce

easy
facile

difficult
difficile

2+2 = 7⟌22369

ventitré 23

Months and seasons

January
gennaio

February
febbraio

March
marzo

April
aprile

May
maggio

June
giugno

spring
la primavera

sun
il sole

summer
l'estate

July
luglio

August
agosto

September
settembre

October
ottobre

November
novembre

December
dicembre

autumn
l'autunno

winter
l'inverno

rain
la pioggia

snow
la neve

Counting and colours

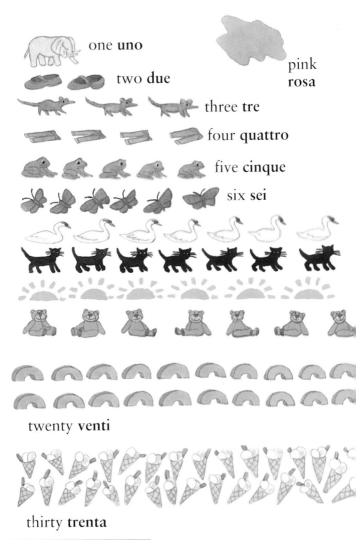

one **uno**

pink **rosa**

two **due**

three **tre**

four **quattro**

five **cinque**

six **sei**

twenty **venti**

thirty **trenta**

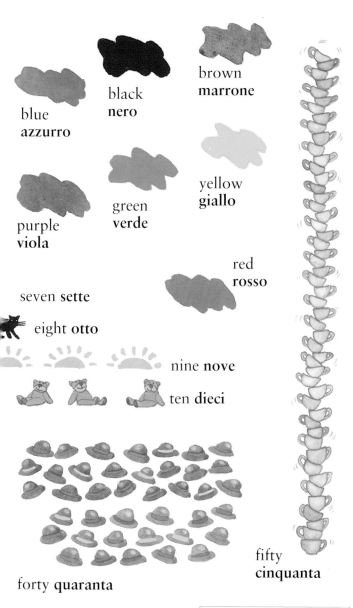

blue **azzurro**

black **nero**

brown **marrone**

purple **viola**

green **verde**

yellow **giallo**

red **rosso**

seven **sette**

eight **otto**

nine **nove**

ten **dieci**

forty **quaranta**

fifty **cinquanta**

Word square

Can you find the six Italian words hidden in this square? The pictures will help you guess the words.

q	v	r	m	d	x	t
l	e	g	g	e	r	e
s	w	e	c	p	y	s
e	n	l	j	u	v	t
d	c	a	n	e	q	a
i	p	t	l	f	r	g
a	r	o	s	s	o	u

Word list

aeroplane l'aeroplano
April aprile
arm il braccio
August agosto
autumn l'autunno

bathroom il bagno
beach la spiaggia
bed il letto
bedroom la camera da letto
bee l'ape
behind dietro
bicycle la bicicletta
big grande
bird l'uccello
black nero
blue azzurro
book il libro
bookcase la libreria
boy il ragazzo
brown marrone
bucket il secchiello
bus l'autobus
butterfly la farfalla

car la macchina
carry portare
cat il gatto
chair la sedia
chest of drawers il cassettone
children i bambini
clean pulito
clock l'orologio
cold freddo
comb il pettine
come venire
cry piangere
curtain la tendina

December dicembre
difficult difficile
dirty sporco
dog il cane
door la porta
dress il vestito
drink bere
dry asciutto

ear l'orecchio
easy facile
eat mangiare
eight otto
elephant l'elefante
empty vuoto
eye l'occhio

fast veloce
father il padre
February febbraio
fifty cinquanta
finger il dito
fish il pesce
five cinque
floor il pavimento
foot il piede
forty quaranta
four quattro
full pieno

girl la ragazza
gloves i guanti
go andare
green verde

hair i capelli
hand la mano
head la testa
helicopter l'elicottero
hold tenere
horse il cavallo
house la casa

ice cream il gelato
in front of davanti a

January gennaio
jeans i jeans
July luglio
jump saltare
June giugno

kitchen la cucina

(on the) left a sinistra
leg la gamba
lighthouse il faro
lion il leone
lioness la leonessa

listen ascoltare
little piccolo
living-room il soggiorno
long lungo
lorry il camion

March marzo
May maggio
mirror lo specchio
monkey la scimmia
mother la madre
motorbike la motocicletta
motor boat la barca a motore
mouse il topo
mouth la bocca

new nuovo
nine nove
nose il naso
November novembre

October ottobre
old vecchio
one uno
open aperto
(to) open aprire

painting il quadro
paints i colori
pencils le matite
pink rosa
pull tirare
pullover il maglione
puppet la marionetta
purple viola

radio la radio
rain la pioggia
raincoat l'impermeabile
read leggere
red rosso
(on the) right a destra
rock la roccia
roller skates i pattini a rotelle
run correre
sand la sabbia
sand castle il castello di sabbia
scarf la sciarpa
sea il mare
seaweed le alghe
September settembre
seven sette

sheep la pecora
shell la conchiglia
ship la nave
shoes le scarpe
short corto
shut chiuso
sink il lavandino
six sei
skipping rope la corda per saltare
sleep dormire
slide lo scivolo
slow lento
smile sorridere
snow la neve
socks i calzini
sofa il divano
spade la paletta
spider il ragno
spinning top la trottola
spring la primavera
summer l'estate
sun il sole

table il tavolo
teddy bear l'orsacchiotto
teeth i denti
television la televisione
ten dieci
thirty trenta
three tre
tiger la tigre
toilet il gabinetto
tongue la lingua
train il treno
train set il trenino
trousers i pantaloni
T-shirt la maglietta
twenty venti
two due

umbrella l'ombrello

wall il muro
warm caldo
waves le onde
wet bagnato
window la finestra
winter l'inverno
wolf il lupo
write scrivere

yellow giallo